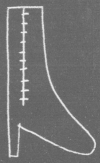

Westphalen, Inés
    *Los zapatos del elefante* / Inés Westphalen ; il. Natalia Gurovich.
– México : Ediciones SM, 2009 [reimp. 2018]
32 p. il. ; 19 x 15 cm – (El barco de vapor. Los piratas ; 15)

ISBN : 978-607-471-420-3

1. Literatura mexicana. 2. Animales – Cuentos infantiles. 3.
Imaginación – Cuentos infantiles. 4. Humor – Cuentos infantiles
I. Gurovich, Natalia, il. II. t. II. Ser.

Dewey 863 W47

Ilustraciones y cubierta: Natalia Gurovich

Primera edición, 2009
Octava reimpresión, 2018
D. R. © SM de Ediciones, S. A. de C. V., 2009
Magdalena 211, colonia del Valle,
03100, Ciudad de México.
Tel.: (55) 1087 8400
Para conocer SM, su fondo editorial y sus servicios: www.ediciones-sm.com.mx

ISBN 978-607-471-420-3
ISBN 978-970-688-942-3 de la colección Los Piratas del El Barco de Vapor

Miembro de la Cámara Nacional de la Industria Editorial Mexicana
Registro número 2830

Impreso en México / *Printed in Mexico*

*Los zapatos del elefante*
se terminó de imprimir en marzo de 2018
en Impresos Vacha, S.A. de C.V.,
Juan Hernández y Dávalos Núm. 47,
col. Algarín, c.p. 06880, Del. Cuauhtémoc,
Ciudad de México.
En su composición se empleó la fuente Gill Sans.

# Los zapatos del elefante

## Inés Westphalen / Natalia Gurovich

Jimena y su padre habían recorrido ya
la mitad del zoológico cuando llegaron
adonde se encontraba el elefante.
Después de observar detenidamente
al inmenso animal, Jimena preguntó:

—Papá, ¿por qué el elefante no tiene zapatos?
Sorprendido por la curiosidad de su hija,
el señor soltó una carcajada,
le dio unas palmaditas,
y siguieron su camino.

Pero el elefante, que había
escuchado la pregunta de la niña,
se quedó pensativo, y aquella observación
siguió dando vueltas en su cabezota
por el resto del día.
"Es muy cierto", pensaba el paquidermo,
"varias veces me han puesto abrigos cuando
hace mucho frío, o un manto rojo y plateado
muy elegante cuando me han invitado
a colaborar en el circo.
En cierta ocasión, incluso me pusieron
una especie de sombrero...
pero zapatos, nunca."

Empezó entonces a mirar cuidadosamente
a sus visitantes.
En efecto, todos, todos sin excepción, tenían zapatos:
los había de muchos colores diferentes,
unos eran de tela, otros de cuero, algunos de plástico
y otros de charol.
Unos tenían los tacones tan finos y altos
que se atoraban entre las piedras del camino,
otros brillaban con la luz del sol
y otros más dejaban ver los dedos de los pies.

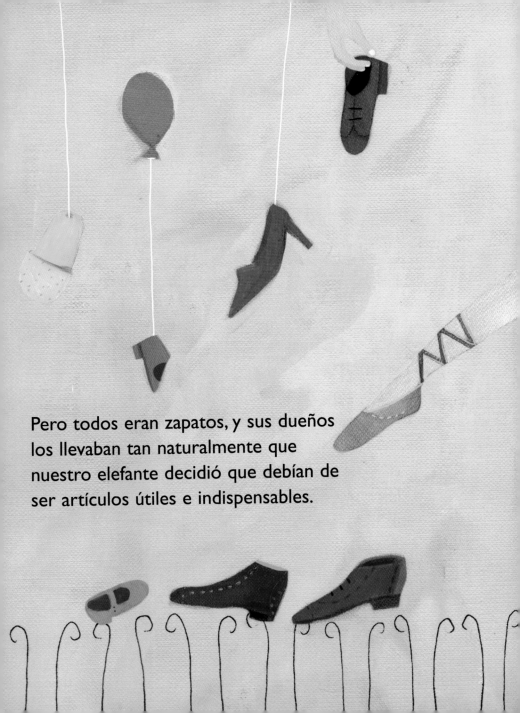

Pero todos eran zapatos, y sus dueños
los llevaban tan naturalmente que
nuestro elefante decidió que debían de
ser artículos útiles e indispensables.

Tanto se obsesionó con esta idea
que empezó a dejar de comer,
y a estar flaco y débil.

Los responsables del zoológico estaban sumamente
preocupados por la extraña enfermedad del elefante.
Sin embargo, por más que lo examinaron
varios expertos veterinarios, no descubrieron
cuál era el mal que lo atormentaba.

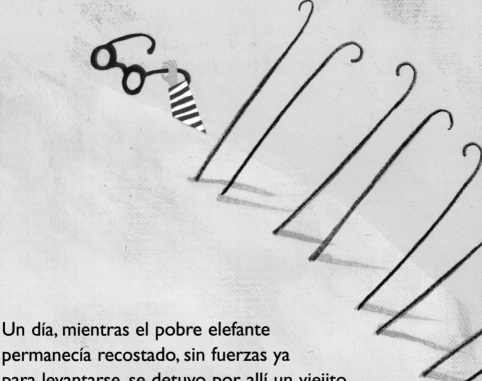

Un día, mientras el pobre elefante
permanecía recostado, sin fuerzas ya
para levantarse, se detuvo por allí un viejito
un poco sordo, pero muy observador, que,
al advertir que el elefante fijaba la vista en los zapatos
del público, intuyó el motivo de su honda tristeza.

CHANCLAS

ZAPATOTES DE PAYASO

Zapatitos de bebé

ZAPATILLAS PARA BAILARINAS

Enseguida los dueños del zoológico ordenaron
buscar en todas las zapaterías de la ciudad
dos pares de calzado —recuerden que los elefantes
tienen cuatro patas— del número 820.
En ninguna encontraron botines de ese tamaño.

Pantuflas
HERRADURAS PARA CABALLOS
CALZADO DE DAMA
ZANCOS
Botas de astronauta
Zapatos de caballeros
Babuchas
Botitas de nieve

Ante tal situación, pusieron
un anuncio en el periódico
para solicitar la ayuda de alguno
de los numerosos amigos de los animales.

**The Animal Times**

# PATO BUSCA PATA

SE ENCONTRABA EN UN LAGO CUANDO
FRENTE A SUS OJOS CRUZÓ ELLA

¡¡APETITO FEROZ!!!

TORO COME

A la mañana siguiente se presentó
un hombrecito con una maleta y un banquito,
y lo hicieron pasar con el elefante.

De inmediato le tomó medidas y se puso a trabajar.
Para la tarde tuvo listos unos estupendos zapatos tenis
que calzó en las pesadas patas del elefante.

Cuál no sería la alegría de todos los presentes
al ver que el elefante se incorporaba de nuevo
y daba unos pasos mirando hacia abajo para
examinar en el espejo sus primeros zapatos.

Como en cualquier parte, en el zoológico
las noticias se transmiten de hocico a oreja,
y pronto hubo en cada jaula por lo menos
un animal deseoso de imitar al elefante.

Desde entonces ese zoológico
fue mundialmente conocido porque en él
los animales no andaban descalzos.

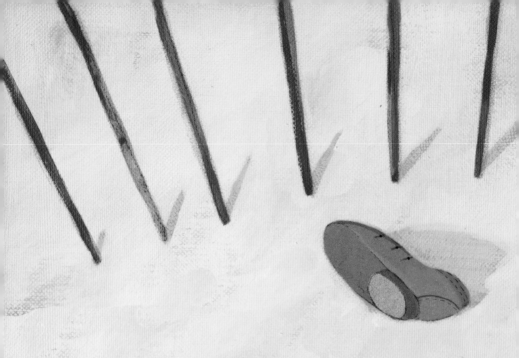

Sin embargo, la nueva moda fue pasajera.
Al poco tiempo los animales se percataron
de lo incómodo que resulta llevar metidas
las patas en esos aparatos que usan los humanos.
Limitaron su empleo a los días de fiesta
y luego simplemente se los ofrecieron
a sus cachorros como juguetes.

Solo el elefante, que adoraba sus tenis,
siguió usándolos,
y a veces hasta se dormía con ellos puestos.

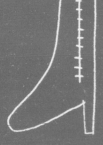

**5**